雪女の家
おけら山
JN152361
ひりひり滝
おおかみ男の家
ぬるぬる池
かたかた橋
にこにこぷんぷんめそめその花畑
ぞくぞく劇場
美術館
ぞくぞく小学校

ぞくぞく村の
小鬼のゴブリン
末吉暁子・作　垂石眞子・絵
ぞくぞく村のおばけシリーズ・4

ぞくぞく村の東のはずれに、ひときわ高くそびえているのは、べろべろの木です。

りんごによくにた赤い実が、たくさん実っているはずですが……。

あれれ？　あっちにもこっちにも、ひらひらひるがえっている布きれは、赤んぼうのおしめじゃありませんか。

それもそのはず、この木の根もとにすんでいる小鬼のゴブリンさんのおうちには、七つ子の赤ちゃんがいるのですから……。

ほらほら、聞こえてくるでしょう。小さなドアのすきまから、赤ちゃんたちの大合唱が。

♪ギャーギャー
ピーピー
フエンフエーン
オオーン　ウオーン
ウワーン　ワン
エッエッ　エッエッ
ビエー　ビエー

家の中では、ゴブリンさんとおかみさんが赤ちゃんたちのおしめを取りかえるのに、てんてこまい。

「ああ、いそがしい。もぐらの手でも、ありんこの手でもいいから、かりたいよ。」

どうにかおしめも取りかえて、赤ちゃんたちのごきげんもなおったところで、ひとりひとり、しょうかいしてもらいましょうか。
七人の赤ちゃんたちは、とってもよくにていて、はじめて見る人には、どの子も同じに見えますが、よくよく見ると、みんなちがうのです。

ピュー
けいさつ
ス、スピード
いはんだっ

ヌラリンは、はいはいをしたら速いこと、速いこと。ねずみ花火みたいにかけずりまわり、ゴブリンさんでも追いつけません。

クラリンは、かくれんぼの名人で、ちょっと目をはなすと、すぐにせんたくかごの中とか、たんすの中とか、じょうずにかくれてしまいます。

パクリンは、とてつもない食いしんぼう。なんでもかんでも口に入れ、パクパク食べてしまいます。

コロリンは、ころころ太ったかわいい子ですが、だっこするときは、気をつけて。鉄のかたまりみたいに重い子ですから。

ベロリンは、はだかんぼが大好き。洋服を着せても、くつ下をはかせても、すぐにベロンとぬいでしまいます。さっき、あてたばかりのおしめも、もう、むしりとってしまいました。そればかりではありません。ほかの子の服まで、すぐぬがせたがるので、まったく目がはなせません。

チクリンのかみの毛(け)は、くりのいがみたいにかたくてツンツン。うっかりほおずりしようものなら、ほっぺたがきずだらけになってしまいます。

さて、すえっ子のリンリンは、とっても静かでおとなしいけど、なんだかちょっとふしぎな子です。家から一度も出ていないのに、いつのまにか、にこにこの花をにぎっていたり、しきりにドアの方ばかり見るので、へんだなと思っているとお客さんが来たり……。

そんなわけですから、七人の赤ちゃんたちのせわをするのは、ほんっとにたいへん。

ゴブリンさんは、ここ半年、仕事に出かけるひまもありません。

そうそう、ゴブリンさんの仕事は、ほりだしや。つるはし一本、かたにかついで、たからものがありそうなところに出かけていっては、ほりあててひともうけするという仕事です。

おかみさんは、もっとたいへん。

「ねえ、あなた。あたし、赤ちゃんをうんでから、一度も外出してないのよ。たまには、どっきり広場で買い物もしたいし、映画だって見たいわ。」

そこで二人は相談して、ぞくぞく村だよりに、「求む、七つ子のベビーシッター」という広告を出しました。

「一週間に一度、いや、一か月に一度でいいんだよ。赤ちゃんの子守りをしながら、るすばんしてくれる、そんな人が来てくれたら、いいんだけどなあ。」

すると、広告の出た次の日。

さっそく、ゴブリンさんちのドアをたたく人がありました。

「あのう、ぞくぞく村だよりで見たんですけど、あたし、赤ちゃんの子守りがしたいんです。」

戸口に立っていたのは、背の高い女の人でした。ゴブリンさんの知らない人ですが、ぞくぞく村だよりを見て来たのですから、この村の人にちがいありません。

「おう、さっそくベビーシッターが来てくれたぞ。」

「よかった、よかった。」

ゴブリンさんとおかみさんは、大よろこびで女の人を中に入れました。

ゴブリン

背をかがめて、小さなドアから入ってきた女の人は、七人の赤ちゃんたちを見て、目をかがやかせました。

それを見て、ゴブリンさんたちは、

「ほんとに赤ちゃんが好きな人らしい。」

と、うなずきあいました。

「それじゃ、あたしたち、さっそく映画を見にいきましょうよ。今、ちょうど、ぞくぞく劇場で『ネッシーのかくれんぼ』をやってるでしょ。ぜひ、見てみたいわ。さあ、おもいっきりおしゃれしていかなくちゃ。」

おかみさんは、さっそく服を着がえて、おけしょうをはじめました。

ゴブリンさんは、女の人の顔色が、きゅうりのように青いのが、ちょっと気になって、

「あの、あまり見かけないお顔のようだが、お名前は？」

と、きいてみました。

「あ、あたし？　申しおくれました。ドラ、じゃなかった。ドレドレと言います。妖精レロレロのいとこです。最近、この村にひっこしてきたんですの。よろしくね。ほほほ。」

ドレドレという女の人は、口もとをおさえて、上品にわらいました。

「ああ、レロレロさんのいとこですか。」

そういえば、妖精のレロレロもきゅうりのような顔色をしています。

ゴブリンさんは、安心しました。

「ところで、子守りのお礼なんだけど、べろべろの実、三こでどうだろう。」

ゴブリンさんは、これでなかなか、けちんぼうです。上目づかいにきりだしました。

すると、ドレドレさんは言いました。

「まあ、べろべろの実なんかいりませんわ。こんなにおいしそうな赤ちゃんたちが、いただけるんですもの。」

「なんだって?」

「あ、いえ、その、こんなにかわいい赤ちゃんたちと、いっしょにいられるだけで、あたし、幸せですもの。」

「そうか、そうか。それは助かった。」

すっかりおめかししたおかみさんも出てきて、言いました。

「じゃあ、赤ちゃんたちがねむっているうちに出かけるわ。おしめは、ここ。ミルクは、あそこ。ドアには、かぎをかけておいてね。赤ちゃんたちが、外にはいだしていくとこまるから。よろしくね。」

「じゃ、行ってきまあす。」
ゴブリンさんとおかみさんは、いそいそとうでをくんで出かけていきました。

あとには、七人の赤ちゃんとドレドレさんだけ……。

ドレドレさんが、ニタアッとわらうと、二本の長いきばが、
にゅうっ！

「ええい、こんなかつらはうっとうしい。」

長いかみの毛を、スポンとはずすと、あれれ、どこかで見た顔が。

「ピンポーン！　わたしは吸血鬼ドラキュラだ！」

なんとまあ、ドラキュラが女に変装していたのです。

「血だ！　血だ！　赤んぼうの血だ！　どの子も、なんとうまそうなんだ！　いただきますぞよ。」

ドラキュラは、さっそく、リンリンの首すじに、ガブリときばをつきたてようとしました。

ちょうどそのとき、リンリンは、ゴロンとねがえりをうったので、ドラキュラのきばは、ベッドのマットに、ブスッとつきささりました。

このドラキュラ、なにをかくそう、じつは、総入れ歯だったのです。

あわてて、からだをおこすと、

「わっ、ふわいへんだ。入れふあがはふれた！」

入れ歯はベッドにつきささったまま、カクカクカクカクとゆれていま
す。

もう一度、入れ歯をはめなおしたドラキュラは、今度はチクリンにおそいかかりました。

　ところが、チクリンのかみの毛が、チクチク！　とドラキュラのほおをさしたから、たまりません。

「いてえ！」

　大きなひめいをあげたとたん、コロリンがおきてなきだしました。

「シーッ。なくなってば。ほかの子もおきちゃうじゃないか。おお、よち

よち。おじさんがだっこしてあげるからね。」

しかたなく、ドラキュラは、ないているコロリンをだきあげました。

ズシーン！

「なんだ、こりゃ！」

ドラキュラは、コロリンをだいたまま、しりもちをついてしまいました。

おきあがろうとすると、ギクッ！

「いたたたた。ギックリごしになってしまった。」

「ギエーッ、ギエーッ！」

「ピー、ピー！」

「ブバブバ！」

とうとう、ほかの赤ちゃんたちも、みんなおきだしました。

「あーあ、みんななきだしちゃった。赤んぼうのなき声を聞いてると、頭がいたくなるんだよ。どうしたら、いいんだ。」

ヌラリンのおしめにさわってみると、びっしょりです。

「よしよし。今、おしめ、取っかえてあげるからね。なくんじゃないよ。」

ドラキュラは、ふうふう言いながら、順番に赤ちゃんのおしめを取りかえはじめました。

「まったく、どの子もおんなじような顔をしている
もんだ。あれ？　この子の
おしめは、さっき取り
かえたばかりだ。」

ヌラリンは、ベッドからはいだして、げんかんのドアをめざして、まっしぐら。

「あっ、ドアのかぎをかけるの、わすれてた。おおい、こら、まてっ！」

ドラキュラがあわてて追いかけたって、つかまるようなヌラリンではありません。

げんかんのドアを頭でおして、外にはいだすと、たったか、たったか、たちまち、どこかへ行ってしまいました。

「ええい、かってにしろ！　おおかみに食われたって、知らないぞ。」

そのすきに、クラリンは、ぱっとどこかにかくれてしまいました。

赤ちゃんのところにもどってきたドラキュラは、
「あれ？　なんだか、急に数がへったみたいだぞ。ひい、ふう、みい、よう、いつ。五人しかいない。へんだなあ。あと、一人いなくちゃならないのに。」
と、首をかしげては、数えなおしています。

クラリンちゃんは どこにいるでしょう
?

そのとき、パクリンが、ドラキュラのかぶってきたかつらを、口に入れて、しゃぶりはじめました。

「あっ、だめ！　それ、食べちゃ。」

大あわてで、かつらを取りあげると、今度は、スリッパをかじりはじめました。

「おなかがすいているらしいぞ。今、ミルクをあっためてやるからな。」

大いそぎで、ミルクをあたためて、もどってくると、ベロリンは、すっかり、はだかんぼになっています。

「だめだったら。おしめ、してなくちゃ。」
ドラキュラが、いくらおしめをあてて
やっても、はじから、つるりとぬぎすて
て、すぐにはだかんぼになってしまいま
す。
そうして、
「ダダー、ダダー。」
と言いながら、ドラキュラの着ているブ
ラウスのボタンをはずしはじめます。
ドラキュラは、なんだか、急にドーッ
とくたびれました。

さて、そんなこととは知らないゴブリンさんとおかみさんは、ぞくぞく劇場で映画を見ていました。

『ネッシーのかくれんぼ』という記録映画です。

湖にネッシーが、ほんとうにいるのかどうか、つきとめようと、人間たちがたんけんたいをくりだすたびに、ネッシーはじょうずにかくれんぼ。

岩のさけめにかくれたり、湖の底のへどろの中にもぐったり、ときには、潜水ていのま下にぴったりくっついて、アカンベーをしていたり。

ネッシーがうまく、たんけんたいをだますたび、観客は、パチパチパチパチとはくしゅかっさい。

「おもしろかったね。」
「ええ、ほんとにひさしぶりで映画を見たわ。」
「これも、いいベビーシッターさんが来てくれたおかげだね。」
ゴブリンさんとおかみさんは、そんな話をしながら、どっきり広場にむかいました。

どっきり広場のブティック「びっくり箱」で、おしゃれなドレスとぼうしを買ったあと、カフェテリア「のっぺらぼう」に、食事をしに、やってきました。

「こんにちは、ゴブリンさん！」

テラスでジュースをのんでいたレロレロが、手をふりました。

「あら、レロレロさんだわ。」

ゴブリンさんとおかみさんは、かけよりました。

「あなたのいとこのドレドレさんが、子守りに来てくれたおかげで、あたしたち、映画を見てこられたの。」

「ほんとに助かったよ。」

「はあ？」

レロレロは、きょとんとしています。

「ほら、最近、ぞくぞく村にひっこしてきたでしょ？　あなたのいとこのドレドレさんが……」。

「あたしのいとこが？　うっそお！　あたしのいとこは、ライン川にすんでいるけど、ぞくぞく村にひっこしてなんかこないわよ。だいいち、いとこの名前はローレライよ」。

「ええっ！」

ゴブリンさんとおかみさんは、青ざめて、顔を見あわせました。

「じゃ、あれは、いったいだれ……」。

「赤ちゃんたちが心配になってきたぞ」。

二人（ふたり）は、手（て）をつないで、ころがるようにかけだしました。

ようやく、べろべろの木（き）のところにかけもどると、げんかんのドアは、半開（はんびら）きになったままです。

「ドアが開（あ）けっぱなしだ！」

「赤（あか）ちゃんたち、どうしたかしら。」

中（なか）に飛（と）びこんだゴブリンさんと、おかみさんが見（み）たものは……。

ゴブリン

なぜかパンツ一まいになったドラキュラが、ゆかによつんばいになっていて、はだかんぼの赤ちゃんたちが、次つぎにドラキュラの背中にのっては、

「オンマちゃん、ドードー！」

をやっていたのです。

「わあん、助けて！」

ゴブリンさんたちに助けだされたドラキュラは、

「あいたたた、あいたたた！」

と、こしをさすりさすり、ようやく立(た)ちあがりました。

「もう、赤(あか)んぼうの血(ち)なんか、いらん!」

洋服(ようふく)とかつらをまるめてもつと、ぷりぷりしながら帰(かえ)っていきました。

「やっぱり、ドラキュラだったのか。どうも、へんな女(おんな)の人(ひと)だと思ったった。」

「たいへんよ！　ヌラリンとクラリンがいないわ。」

あたりを見まわしたおかみさんがさけびました。

「クラリンは、かくれんぼの名人だ。どこかにかくれているにちがいない。」

「家中、さがしてみましょう！」

せんたくかごや、たんすはもちろん、おふろの中、トイレの中、シチューなべの中。

みいんなさがしてみましたけれど、どこにもいません。

「げんかんのドアが開いていた……。」と、いうことは、
ひょっとすると……。」

「ひょっとするわよ。」

ゴブリンさんとおかみさんは、げんかんのドアから飛びだして、
べろべろの木のまわりをさがしはじめました。

「おうい！　おうい！」

「ヌラリンちゃん！　クラリンちゃあん！」

すると、どこからか、

「ブブ、ババ……。」

という声が。それも、すぐ近くで聞こえます。

「ああっ、こんなところに！」

「クラリンちゃん！」

クラリンは、いつのまにか外に出て、べろべろの木のうろの中に
入りこんで、どうやら、すやすやねむっていたようです。

「でも、まだヌラリンが見つからないわ。いったい、どこへ行ってしまったんでしょう。」

「あの子は速足はいはいの名人だ。と、いうことは、ひょっとすると……。」

「ひょっとするわよ。」

「よし。わしがさがしてくる。おまえさんは赤ちゃんたちを見ててくれ！」

「そうして！　おねがい。」

ゴブリンのおやじは、かけだしました。

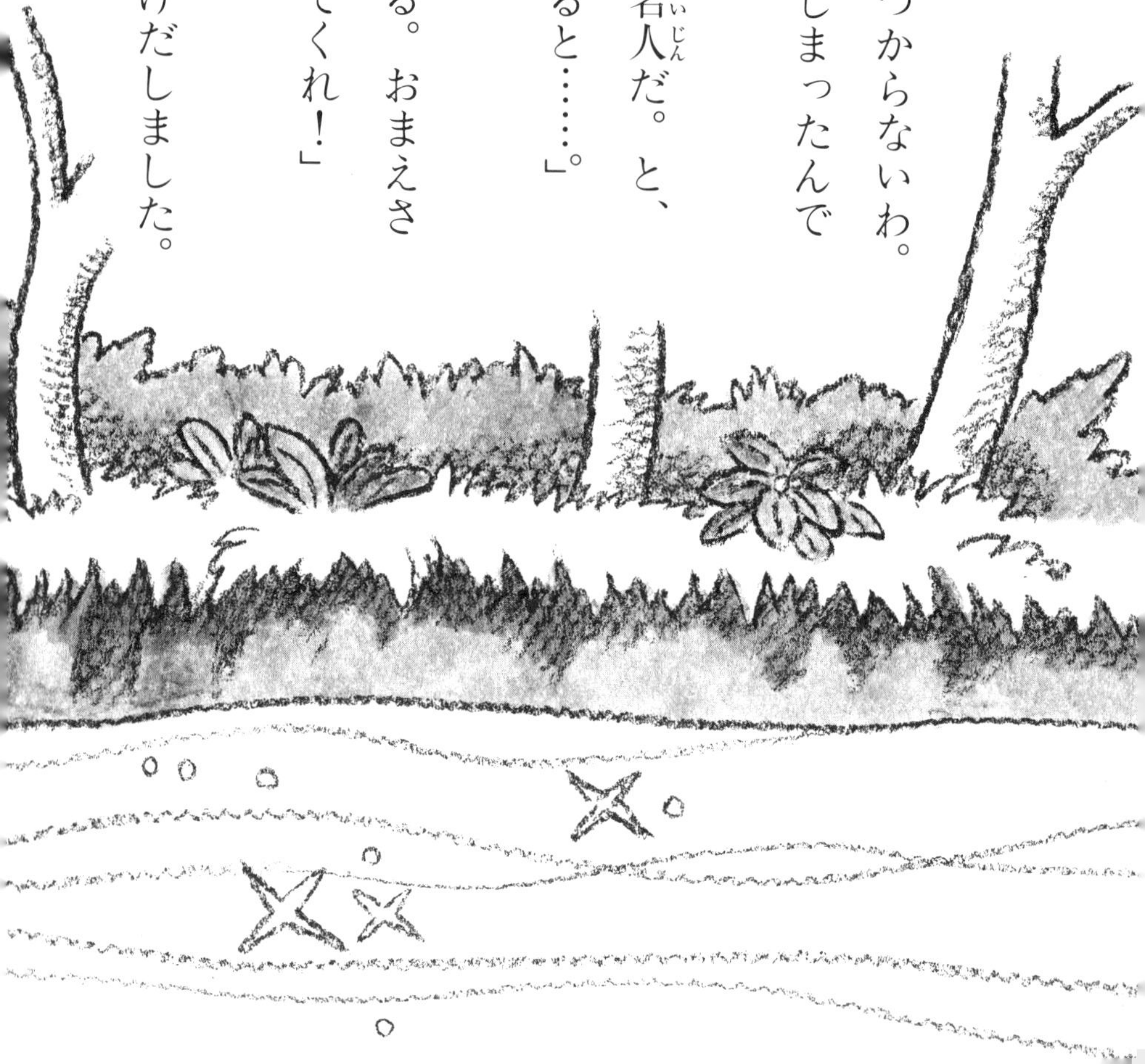

月あかりをきらきらはじきとばしながら、ひそひそ川が、流れていきます。
「まさか、この川に落っこちたんじゃ、あるまいな。」
ゴブリンさんのむねは、トックン、トックンとなりはじめました。

「おうい！　ヌラリン！」
「どこにいるんだあい！」
大きな声で赤んぼうの名をよびながら、ゴブリンさんは、ひそひそ川のほとりからおばけかぼちゃ畑、そして、もじゃもじゃ原っぱへと、かけずりまわりました。

そのとき、もじゃもじゃ原っぱのむこうの方に、白いものが、ふわん、ふわん、ふわん。

「あっ、あれは、もしかしたら……。」

ゴブリンさんが、かけつけてみると、それは、ちびっこおばけのグーちゃん、スーちゃん、ピーちゃんでした。

「あら、ゴブリンさん！」

「こんにちは。」

「赤ちゃんたち、みんなお元気？」

「それがのう。ヌラリンがいなくなっちゃったんだよ。どこかで見かけなかったかい？」

すると、ちびっこおばけたちは、顔を見あわせました。

ピュー

「じゃあ、さっき、もじゃもじゃ原っぱを、すごいスピードでかけぬけていったのは、」

「人面犬じゃなくて、」

「ヌラリンちゃんだったんだわ！」

「なんだって？　それで、どっちへ行ったんだね？」

かみつきそうないきおいで、ゴブリンさんがたずねると、ちびっこおばけたちは、そろって、

「あっち！」

と、ぐずぐず谷の方をゆびさしました。

聞くが早いか、ゴブリンさんは、かけだしました。

「おっとっと！」

もじゃもじゃ原っぱの草に足をとられて、すってえん！

ころころ、ころがりながら、坂をくだってぐずぐず谷に、まっしぐら。

魔女のオバタンの家の前で、ようやく、とまりました。
オバタンの家の二つのまどは、ねこの目みたいにギラギラ光り、
えんとつからは、ゆらりゆらりと、けむりがたちのぼっています。

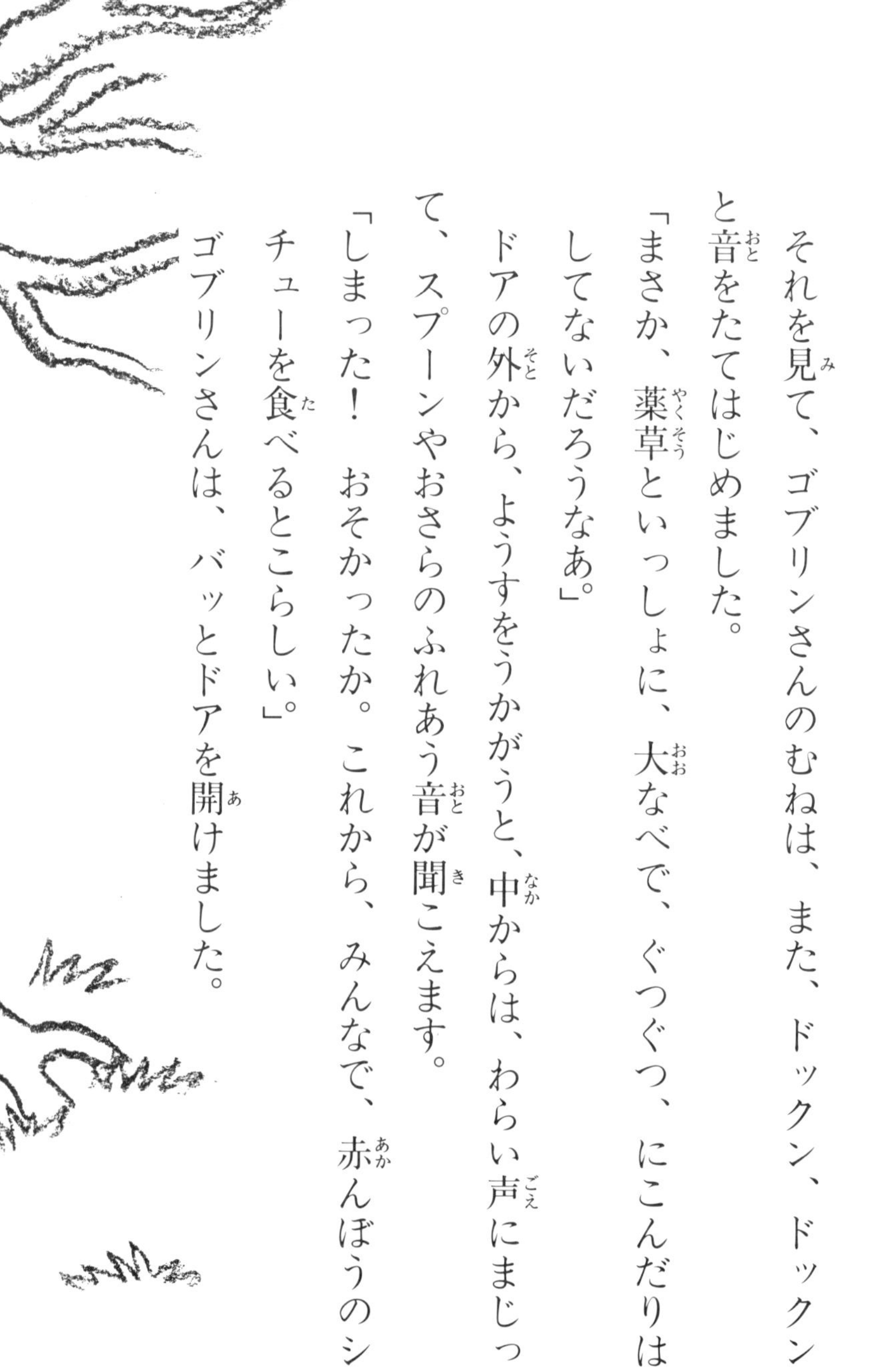

それを見て、ゴブリンさんのむねは、また、ドックン、ドックンと音をたてはじめました。

「まさか、薬草といっしょに、大なべで、ぐつぐつ、にこんだりはしてないだろうなあ。」

ドアの外から、ようすをうかがうと、中からは、わらい声にまじって、スプーンやおさらのふれあう音が聞こえます。

「しまった！　おそかったか。これから、みんなで、赤んぼうのシチューを食べるところらしい。」

ゴブリンさんは、バッとドアを開けました。

だんろの前のゆりいすに、ヌラリンがすわり、ねこのアカトラが、そのゆりいすを、ギッタン、ギッタン、ゆすっています。

赤ちゃんの前では、魔女のオバタンが、おもいっきり、おかしな顔で、

「べろべろ、ばあっ！」

ペロリとバッサリとイボイボは、スプーンで、おわんややかんやおさらをたたいて、赤ちゃんをあやしているのです。

赤ちゃんがわらうと、オバタンたちも、いっしょになって、

「へへへへっ。」

とわらうのでした。

ゴブリンさんは、ふりあげたこぶしを
そうっとさげて、
「ごめんください。」
と言いました。
魔女のオバタンは、はっとしたように、
すまし顔にもどると、ばつが悪そうに言いました。
「ベビーシッターに、なりたかったんだけどね、魔女が赤ちゃんを好きだなんて言ったらおかしいだろ？　はずかしくて、言えなかったんだよ。」

魔女のオバタンが、ほうきにのって、送っていってあげると言うのを、ゴブリンさんはていちょうにおことわりして、歩いて家に帰りました。もちろん、ヌラリンを、しっかりおんぶして……。

だって、魔女のオバタンがほうきにのると、どこへ飛んでいってしまうかわからないのを、ゴブリンさんも知っていましたから……。

よかった
よかった

スー

でも、おかげで、ゴブリンさんとおかみさんは、とってもいいベビーシッターが、見つかりました。

「いつでもうちにつれといで！　うちは、みんな、赤ちゃんが大好きなんだよ。」

オバタンがそう言ってくれたものですから……。

そういうときは、ちびっこおばけたちも、おうえんにかけつけてくれるのです。

ほら、ね。なかなか、うまくいってるでしょ。

おいしい
赤ちゃん
メニュー

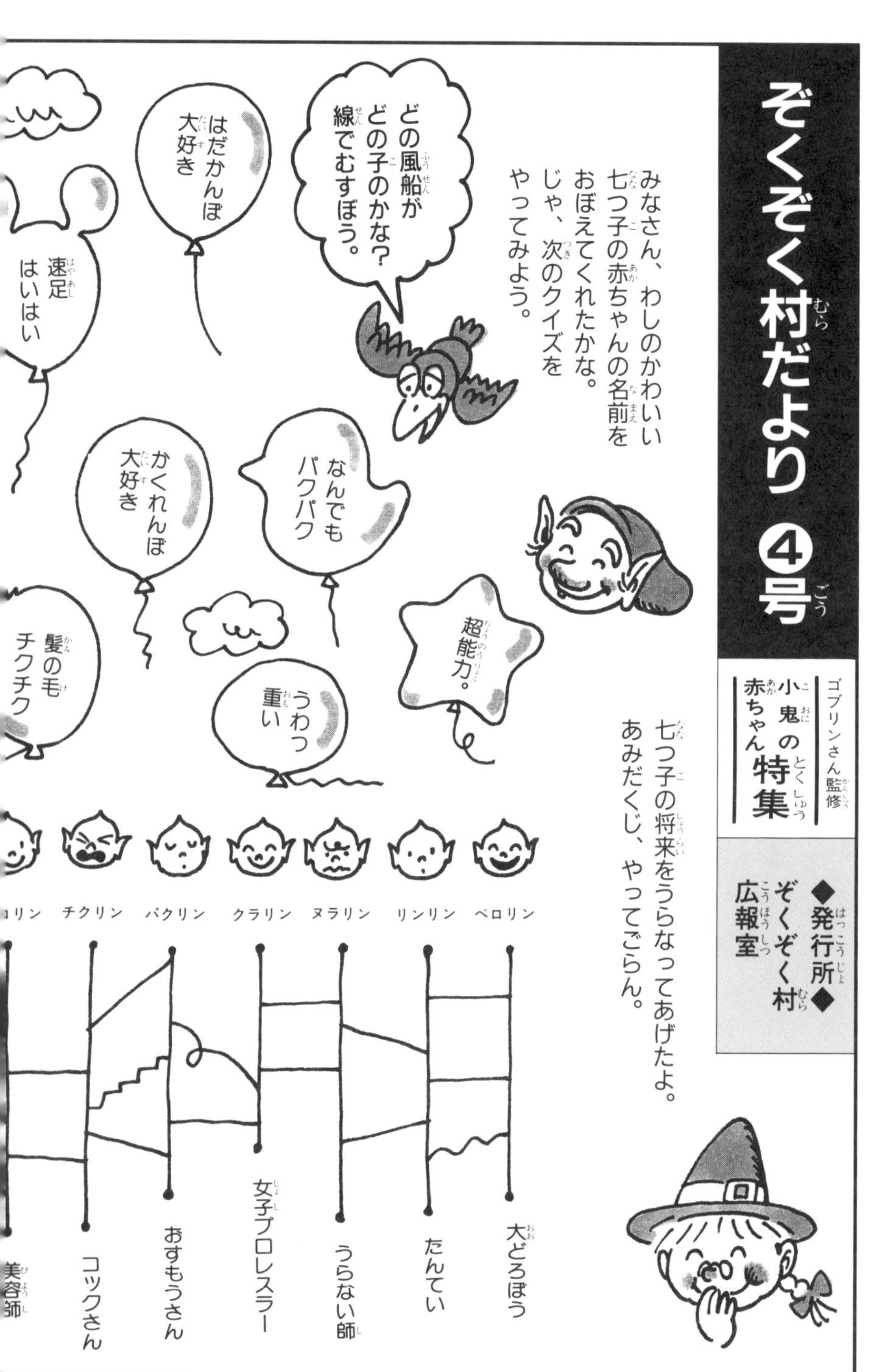
ぞくぞく村だより④号
ゴブリンさん監修
小鬼の赤ちゃん特集
◆発行所◆
ぞくぞく村広報室
みなさん、わしのかわいい七つ子の赤ちゃんの名前をおぼえてくれたかな。じゃ、次のクイズをやってみよう。
どの風船がどの子のかな？線でむすぼう。
はだかんぼ大好き
速足はいはい
なんでもパクパク
かくれんぼ大好き
超能力。
うわっ重い
髪の毛チクチク
七つ子の将来をうらなってあげたよ。あみだくじ、やってごらん。
ベロリン
リンリン
ヌラリン
クラリン
パクリン
チクリン
ロリン
大どろぼう
たんてい
うらない師
女子プロレスラー
おすもうさん
コックさん
美容師

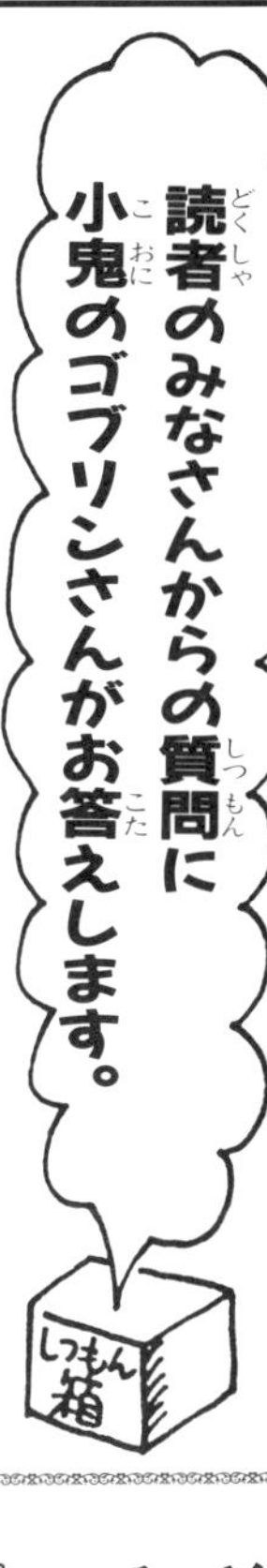

読者のみなさんからの質問に小鬼のゴブリンさんがお答えします。

Q. ぞくぞく村へ行きたいのですが、どうやって行ったらいいですか？

A. ウーン。ちょっとむずかしいけど、おしえてあげる。
満月の夜、目をつぶり、じゅもんをとなえて、雲をよぶ。その雲にのって空を飛び、背中がぞくぞくっとしたところで飛びおりると、そこがぞくぞく村さ。どんなじゅもんかって？　魔女のオバタンが、いつもとなえてるだろ。

Q. なぜ、おおかみ男は、ときどきぶた男になるのですか？

A. それこそ、ぞくぞく村最大のミステリーなんだよ。友だちのミイラのラムさんが心配して、今度の満月のころ、しばらくとまりこんで原因をさがしてみるそうだ。わかったら、きっとおしえてあげるよ。

☆ほかの質問にも、いずれお答えする予定です。

ぞくぞく村の歌ができました！

みなさん、かってなメロディーで歌ってね。

1
きみも　おいでよ　ぞくぞく村へ
真夜中　満月　のぼるころ
ぞろぞろ　ぞろぞろ　おばけが　ぞーろぞろ
ぞくぞく　ぞくぞく　背中が　ぞーくぞく
だけど　おねがい　にげださないでね
ミイラ男の　ラムさんが
ズルズル　ほうたい　ほどいても
ククク　ウフフ　へへへ　ホッホー

2
みんな　まってる　ぞくぞく村で
真夜中　満月　のぼるころ
ぞろぞろ　ぞろぞろ　おばけが　ぞーろぞろ
ぞくぞく　ぞくぞく　背中が　ぞーくぞく
だけど　おねがい　ふきださないでね
太った　魔女の　オバタンが
ドタリと　ほうきから　落ちたって
ククク　ウフフ　へへへ　ホッホー

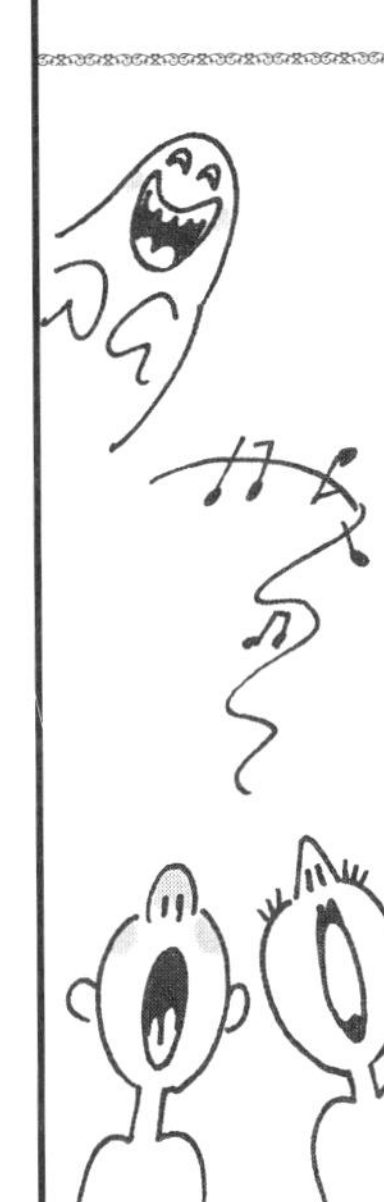

★おたよりください◆あてさき◆東京都千代田区西神田三ー二ー一　あかね書房「ぞくぞく村」係

作者　**末吉暁子**（すえよし　あきこ）
神奈川県生まれ。児童図書の編集者を経て、創作活動に入る。『星に帰った少女』（偕成社）で日本児童文学者協会新人賞、日本児童文芸家協会新人賞受賞。『ママの黄色い子象』（講談社）で野間児童文芸賞、『雨ふり花さいた』（偕成社）で小学館児童出版文化賞、『赤い髪のミウ』（講談社）で産経児童出版文化賞フジテレビ賞受賞。長編ファンタジーに『波のそこにも』（偕成社）が、シリーズ作品に「きょうりゅうほねほねくん」「くいしんぼうチップ」（共にあかね書房）など多数がある。垂石さんとの絵本に『とうさんねこのたんじょうび』（ＢＬ出版）がある。2016年没。

画家　**垂石眞子**（たるいし　まこ）
神奈川県生まれ。多摩美術大学卒業。絵本に『ライオンとぼく』（偕成社）、『おかあさんのおべんとう』（童心社）、『もりのふゆじたく』『きのみのケーキ』『あたたかいおくりもの』『あいうえおおきなだいふくだ』『あついあつい』（以上福音館書店）、『メガネをかけたら』（小学館）、『わすれたって、いいんだよ』（光村教育図書）、『けんぽうのえほん　あなたこそたからもの』（大月書店）などがある。挿絵の作品に『かわいいこねこをもらってください』（ポプラ社）など多数。日本児童出版美術家連盟会員。
垂石眞子ホームページ
http://www.taruishi-mako.com/

ぞくぞく村のおばけシリーズ④　***ぞくぞく村の小鬼のゴブリン***

発　行＊1991年11月第１刷　2024年４月第49刷　NDC913　79p　22cm
作　者＊**末吉暁子**　画　家＊**垂石眞子**
発行者＊岡本光晴
発行所＊**あかね書房**　〒101-0065　東京都千代田区西神田３-２-１／TEL 03－3263－0641㈹
印刷所＊錦明印刷㈱　写植所＊㈲千代田写植　製本所＊㈱難波製本

ISBN978-4-251-03674-2

ぞく村
雨ぼうずの家
おしゃれおばけの家
びしょびしょ丘
オバタンの家
もじゃもじゃ原っぱ
ゴツゴろの木
ミイラのラムさん
ゴブリンの家
とんとん橋
おばけかぼちゃ畑
吸血鬼の家
ぱかぱか森